Pablo Picasso

Le désir
attrapé
par la queue

Gallimard

Œuvre écrite en 1941.

Lecture chez Michel Leiris en 1944, avec Simone de Beauvoir, Zanie de Campan, Germaine Hugnet, Valentine Hugo, Louise Leiris, Jean Aubier, Albert Camus, Michel Leiris, Pablo Picasso, Pierre Reverdy, Jean-Paul Sartre, Raymond Queneau.

Création en France, lors du IVᵉ Festival de la Libre Expression, Saint-Tropez, juillet 1967, dans la cour arrière du Papagayo.

Production : VICTOR HERBERT

Réalisation : JEAN-JACQUES LEBEL *et* ALLAN ZION

Avec dans les rôles principaux joués en alternance :

   BERNADETTE LAFONT et RITA RENOIR

   JACQUES SEILER et LASZLO SZABO

   ULTRA VIOLET

et avec :

JACQUES BLOT, KATHERINE MOREAU, TAYLOR MEAD,

DORTE OLOE.

Costumes : EMMANUELLE KHANH
Décors et éclairages : JEAN-JACQUES LEBEL et ALLAN ZION
Régie : JEAN GRIMAULT
Effets sonores : MICHEL ASSO
Effets spéciaux : MAC DONALD PAINE
Administration : VICTOR HERBERT, ALLAN ZION, ALAIN CROMBECQUE

Paris mardi 14 janvier 1941

personnages

LE GROS PIED
L'OIGNON
LA TARTE
SA COUSINE
LE BOUT ROND
LES DEUX TOUTOUS
LE SILENCE
L'ANGOISSE GRASSE
L'ANGOISSE MAIGRE
LES RIDEAUX

ACTE Ier

scène I

LE GROS PIED – l'Oignon trêve de plaisanteries nous voici bien réveillonnés et à point de dire les quatre vérités premières à notre Cousine. Il faudrait s'expliquer une fois pour toutes les causes ou les conséquences de notre mariage adultérin il ne faut pas cacher ses semelles crottées et ses rides au gentleman rider si respectueux soit-il des convenances

LE BOUT ROND – un moment un moment

LE GROS PIED – inutile inutile

LA TARTE – mais enfin mais enfin un peu de calme et laissez-moi parler

LE GROS PIED – bien

LE BOUT ROND – bien bien

LES DEUX TOUTOUS – guà-guà

LE GROS PIED – je voulais dire que si nous voulons nous entendre enfin au sujet du prix des meubles et de la location de la villa il faudrait et d'un absolu parfait accord déshabiller tout de suite le Silence de son complet et le mettre nu dans la soupe qui entre parenthèses commence à refroidir à une vitesse folle

L'ANGOISSE GRASSE – je demande la parole

L'ANGOISSE MAIGRE – moi aussi moi aussi

LE SILENCE – voulez-vous vous taire

L'OIGNON – le choix de cet hôtel comme lieu de rendez-vous et place publique du champ clos à faire de cet endroit n'est pas encore fait et nous devons examiner au microscope d'abord parcelle à parcelle les poils follets du sujet encore bien indécis

LE GROS PIED – ne vous cachez pas si adroitement derrière le derrière de l'histoire qui tant nous intéresse et nous chagrine le choix des témoins est fait et bien fait nom d'une trique et à nous tous nous arriverons bien à découper la forme sur l'ombre portée du compte à régler au propriétaire

LE SILENCE – *enlevant ses habits* — qu'il fait chaud nom de Dieu

LA COUSINE – j'ai déjà mis du charbon tout à l'heure mais ça ne chauffe pas c'est emmerdant

L'OIGNON – il faudrait ramoner cette cheminée demain elle fume

LE BOUT ROND[1] – il serait préférable de construire l'année prochaine une plus jeune et avec ça plus de souris ni cafards

LA TARTE – moi j'aime mieux le chauffage central c'est plus propre

L'ANGOISSE MAIGRE – ah que je m'ennuie

L'ANGOISSE GRASSE – tais-toi on est en visite

LE BOUT ROND – au dodo au dodo savez-vous l'heure qu'il est 2 hs - 1/4

1. *l'Oignon* dans le manuscrit.

scène II

(changement de lumière lumière d'orage)

LES RIDEAUX *s'agitant* – quel orage quelle nuit
une véritable certainement nuit câline une
nuit de Chine une nuit pestilentielle en por-
celaine de Chine nuit de tonnerre dans mon
ventre incongru *(riant et pétant)*

(musique de Saint-Saëns <u>la Danse macabre</u>)
*(des pieds la pluie commence à tomber sur le
plancher et des feux follets courent sur la
scène)*

ACTE II

scène I

un couloir dans l'Hôtel
les deux pieds de chaque convive sont devant
la porte de leur chambre
se tordant de douleur

LES DEUX PIEDS DE LA CHAMBRE Nº III — mes
engelures mes engelures mes engelures

LES DEUX PIEDS DE LA CHAMBRE Nº V — mes engelures
mes engelures

LES DEUX PIEDS DE LA CHAMBRE Nº I — mes engelures
mes engelures mes engelures

LES DEUX PIEDS DE LA CHAMBRE Nº IV — mes engelures mes engelures mes engelures

LES DEUX PIEDS DE LA CHAMBRE Nº II — mes

19

engelures mes engelures mes engelures

*les portes transparentes s'allument et les
ombres dansantes de cinq singes mangeant
des carottes apparaissent*
<u>*obscurité complète*</u>

scène II

(même décor)
deux hommes en cagoule apportent une bai-
gnoire immense pleine de mousse de savon
sur la scène devant les portes du couloir après
un morceau de violon de la Tosca *du fond de*
la baignoire sortent les têtes de Gros Pied
l'Oignon la Tarte sa Cousine le Bout rond les
deux Toutous le Silence l'Angoisse grasse
l'Angoisse maigre les Rideaux

LA TARTE – bien lavés bien rincés nets nous sommes des miroirs de nous-mêmes et prêts à recommencer demain et tous les jours le même manège

LE GROS PIED – la Tarte je te vois

L'OIGNON – je te vois

LE BOUT ROND – je te vois je te vois coquine

21

LE GROS PIED (*s'adressant à la Tarte*) – tu as la jambe bien faite et le nombril bien tourné la taille fine et les nichons parfaits l'arcade sourcilière affolante et ta bouche est un nid de fleurs tes hanches un sopha et le strapontin de ton ventre une loge aux courses de taureaux aux arènes de Nîmes tes fesses un plat de cassoulet et tes bras une soupe d'ailerons de requins et ton et ton nid d'hirondelles encore le feu d'une soupe aux nids d'hirondelles mais mon chou mon canard et mon loup je m'affole je m'affole je m'affole je m'affole

L'OIGNON – vieille putain petite grue

LE BOUT ROND – où vous croyez-vous cher ami à la maison ou au bordel ?

SA COUSINE – si vous continuez je ne me lave plus et je m'en vais

LA TARTE – où est mon savon mon savon mon savon ?

LE GROS PIED – la coquine

L'OIGNON – oui la coquine

LA TARTE – il est bon ce savon il sent bon ce savon

LE BOUT ROND – je t'en foutrai du savon qui sent bon

LE GROS PIED – belle enfant veux-tu que je te frotte ?

LE BOUT ROND – quelle garce

les deux Toutous criant leurs aboiements lèchent tout le monde couverts de mousse de savon sautent hors de la baignoire et les baigneurs habillés comme tout le monde à l'époque sortent de la baignoire seule la Tarte sort toute nue mais avec des bas — ils apportent des paniers pleins de victuailles des bouteilles de vin des nappes des serviettes des couteaux des fourchettes — ils préparent un grand déjeuner sur l'herbe — arrivent des croque-morts avec des cercueils où ils enfournent tout le monde — les clouent et les emportent

rideau

ACTE III

scène I

(rideau de fond noir <u>coulisses et tapis noir</u>)

LE GROS PIED – réflexion faite rien ne vaut un
   ragoût de mouton mais j'aime beaucoup
   mieux le miroton ou bien le bourguignon
   bien fait un jour de bonheur plein de neige
   par les soins méticuleux et jaloux de ma cuisinière esclave slave hispano-mauresque et
   albuminurique servante et maîtresse délayée
   dans les architectures odorantes de la cuisine — la poix et la glu de ses considéra-
   tions détachées — rien ne vaut son regard et
   ses chairs hachées sur le calme plat de ses
   mouvements de reine
   ses sauts d'humeur ses chauds et froids far-
   cis de haine ne sont rien au beau milieu du
   repas que l'aiguillon du désir entrecoupé de
   douceurs

le froid de ses ongles retournés contre elle et les pointes de feu de ses lèvres glacées sur la paille du cachot mis à jour — n'enlèvent point à la cicatrice de la blessure son caractère — la chemise relevée de sa beauté son charme chamarré amarré à son corsage et la force des marées de ses grâces secouent la poudre d'or de son regard sur les coins et les recoins de l'évier puant — des linges étendus à sécher à la fenêtre de son regard aiguisé sur la pierre à couteau de sa chevelure emmêlée — et si la harpe éolienne de ses gros mots orduriers et communs et ses rires irritent la luisante superficie du portrait c'est à ses proportions démesurées et à ses propositions émues qu'elle doit cette avalanche d'hommages

la lance du bouquet de fleurs qu'elle cueille dans l'air au passage crie entre ses mains l'adoration royale de la victime — cristallisée dans la pensée — l'allure au grand galop de son amour — la toile née au matin dans l'œuf frais de son nu — saute l'obstacle et tombe haletante sur le lit — je porte sur mon corps ces marques — elles sont vivantes elles crient et chantent et m'empêchent de prendre le train de 8 h 45

— les roses de ses doigts sentent la térében-
thine — quand j'écoute à l'oreille du silence
et je vois ses yeux se fermer et répandre le
parfum de ses caresses j'allume les cierges
du péché à l'allumette de ses appels — la
cuisinière électrique a bon dos

scène II

(on frappe)

LE BOUT ROND — y a quelqu'un ?

LE GROS PIED — entrez

LE BOUT ROND — il fait bon chez toi mon Gros Pied[1] et quelle bonne odeur de marcassin rôti — bonne nuit et je m'en vais mais en passant sur le pont des soupirs j'ai vu de la lumière chez toi et je suis descendu t'apporter ton billet pour le tirage de ce soir de la loterie nationale

LE GROS PIED — merci voici l'argent voilà la chance qui m'arrive ce matin à l'heure des biscottes et des figues mi-figue mi-raisin si

---

1. *Bout rond* dans le manuscrit.

fraîches — encore un jour de passé et c'est
la gloire noire

LE BOUT ROND – quel froid

LE GROS PIED – veux-tu prendre un verre d'eau
ça te réchauffera les tripes — cette affaire
de maison à louer me préoccupe et
m'attriste car si le propriétaire ce bon gros
de Jules est d'accord sur le prix et les
charges la voisine d'en face cette chipie
m'inquiète — son gros chat ne fait que
rôder autour de la cage de mes souris et je
vois le moment arriver où les poissons des
îles que je nourris avec elles vivantes vont
être mis en charpie et dévorés par cette stu-
pide bestiole — mes grenouilles de jeu de
tonneau se portent bien mais le vin d'aloès
que j'ai fait tourne et je ne vois plus la fin de
cet hiver sans qu'une plus grande disette
nous accueille   .

LE BOUT ROND – le plus court ce serait de mettre
au bout d'un solide hameçon une petite
souris morte et laissant doucement traîner le
fil au bout d'une canne attendre couché que
le gros chat s'y prenne — le tuer lui enlever
la peau le couvrir entièrement de plumes lui

31

apprendre à chanter et[1] à réparer les montres — après ça tu pourras le rôtir et te faire un bouillon d'herbes

LE GROS PIED – rira bien qui rira le dernier — le chat mort et celle que j'aime venue me souhaiter la bonne année la maison brillera comme une lanterne et la fête brisera toutes les cordes des violons et des guitares

LE BOUT ROND – folie folie folie les hommes sont fous — l'écharpe du voile qui pend des cils des persiennes essuie les nuages roses sur la glace couleur pomme du ciel qui se réveille déjà à ta fenêtre — je m'en vais au bistrot du coin lui arracher de mes griffes le peu de couleur chocolat qui rôde encore dans le noir de son café — très bon jour ce matin et à demain soir tout à l'heure

(il sort)

---

1 *y* (et) dans le manuscrit.

scène III

*le Gros Pied se couche au milieu de la scène
par terre et commence à ronfler — rentrent
des deux côtés de la scène les Angoisses la
Cousine et la Tarte*

L'ANGOISSE MAIGRE *(regardant le Gros Pied)* – il
est beau comme un astre c'est un rêve
repeint en couleurs d'aquarelle sur une
perle — ses cheveux ont l'art des ara-
besques compliquées des salles du palais de
l'Alhambra et son teint a le son argentin de
la cloche qui sonne le tango du soir à mes
oreilles pleines d'amour — tout son corps
est rempli de la lumière de mille ampoules
électriques allumées — son pantalon est
gonflé de tous les parfums d'Arabie ses
mains sont de transparentes glaces aux
pêches et aux pistaches — les huîtres de ses

yeux renferment les jardins suspendus bouche ouverte aux paroles de ses regards et la couleur d'aïoli qui l'encercle répand une si douce lumière sur sa poitrine que le chant des oiseaux qu'on entend s'y colle comme un poulpe au mât du brigantin qui dans les remous de mon sang navigue à son image

L'ANGOISSE GRASSE — je tirerais bien un coup avec lui sans qu'il le sache

LA TARTE *(les larmes aux yeux)* — je l'aime

LA COUSINE — j'ai connu à Châteauroux un monsieur un architecte qui portait des lunettes qui voulait m'entretenir — un monsieur très bien et très riche il ne voulait jamais que je paye mon dîner et l'après-midi entre 7 Hs et 8 prenait l'apéritif au grand café qui fait l'angle de la grande rue c'est lui qui m'a appris à découper correctement une sole limande après il est parti chez lui pour toujours habiter un ancien château historique et bien moi je trouve que couché comme ça par terre et dormant il lui ressemble

LA TARTE *(se jetant sur lui en pleurant)* – je l'aime je l'aime

la Tarte la Cousine et les deux Angoisses sortent chacune de leur poche de grands ciseaux commencent à lui couper des mèches de cheveux jusqu'à lui peler la tête comme un fromage de Hollande appelé « tête de mort » à travers les lames des persiennes de la fenêtre les fouets du soleil commencent à battre les quatre femmes assises autour du Gros Pied

LA TARTE – aï aï aï aï aï aï aï

LA COUSINE – aï aï aï aï

L'ANGOISSE MAIGRE – aï aï aï aï aï

L'ANGOISSE GRASSE – à à à à à à à à à à

(et ça continue pendant un bon quart d'heure)

LE GROS PIED *(en rêve)* – l'os de la moelle charrie des glaçons

LA COUSINE – oh qu'il est beau aï aï aï qui aï oh qui aï aï est aï aï aï aï bo bo

L'ANGOISSE GRASSE — a a a bo a a bo bo

LA TARTE — aï aï je l'aime aï aï aime bo bo aï aï
aï l'aime aï aï bo bo bo bo

(elles sont couvertes de sang et tombent éva-
nouies par terre)

les Rideaux (ouvrant leurs plis devant cette
désastreuse scène immobilisent leur dépit
derrière l'étendue de l'étoffe déployée)

Rideau

ACTE IV

tapant des pieds

LA TARTE – c'est moi qui va gagner c'est moi qui va gagner c'est moi qui va gagner

LA COUSINE – et moi aussi et moi aussi et moi aussi

L'ANGOISSE GRASSE – ça sera moi la première ça sera moi la première

LE GROS PIED – c'est moi qui aura le gros lot

LE BOUT ROND – c'est moi qui l'aura

L'OIGNON – toujours je dois être premier et je serai le premier

LE SILENCE – vous verrez vous verrez

L'ANGOISSE MAIGRE – c'est mon petit doigt qui me l'a dit

(la roue de la loterie tourne)

LA COUSINE – 7 c'est la chance je gagne le gros lot

LE BOUT ROND – 24 plus 00.1042 mais j'y gagne aussi le gros lot ça fait 249 mille 0089

L'ANGOISSE GRASSE – 9 c'est bien mon numéro qui gagne le gros lot

LA TARTE – 60 plus 200 et mille et 007 j'y gagne le gros lot moi aussi j'ai toujours eu de la chance

LE GROS PIED – 4.449 nom de Dieu me voilà milliardaire à la tête du gros lot

LE SILENCE – 1.800 adieu misère lait œufs et laitière me voici maître du gros lot

LE BOUT ROND – 4.254 groslotier que je suis me félicite moi-même

LA COUSINE – 0009 je suis groslotière je suis groslotière je suis groslotière

L'OIGNON – 3.924 je gagne le gros lot c'est juste

L'ANGOISSE GRASSE — 11 c'est le gros lot je le gagne

L'ANGOISSE MAIGRE — 17.215 j'ai le gros lot partout

LES RIDEAUX (*s'agitant comme des fous*) — 1 - 2 - 3 - 4 - nous gagnons des gros lots nous gagnons des gros lots nous gagnons des gros lots nous gagnons des gros lots

grand silence de quelques minutes pendant lesquelles dans le trou du souffleur sur un grand feu et dans une grande poêle on verra on entendra et on sentira frire dans l'huile bouillante des pommes de terre de plus en plus la fumée des frites remplira la salle jusqu'à l'étouffement complet

Rideau

ACTE V

LE GROS PIED *à moitié étendu sur un lit de camp écrivant* – craintes des sauts d'humeur de l'amour et humeurs des sauts de cabri de la rage — couvercle mis à l'azur qui se dégage des algues couvrant la robe amidonnée de riches lambeaux de chair éveillée par la présence des flaques de pus de la femme apparue subitement étendue sur ma couche — gargarisme du métal fondu de ses cheveux criant de douleur toute sa joie d'être prise — jeu de hasard des cristaux enfoncés sur le beurre fondu de ses gestes équivoques — la lettre qui suit pas à pas le mot inscrit au calendrier lunaire de ses plis accrochés aux ronces — fait éclater l'œuf rempli de haine et les langues de feu de sa volonté emmanchée dans la pâleur du lys au point exact où le citron exaspéré se pâme —

double jeu d'osselets peints du rouge de la
bordure de son manteau la gomme arabique
qui dégouline de sa calme attitude rompt
l'harmonie du bruit assourdissant du silence
pris au piège

le reflet de ses grimaces peintes sur la glace
ouverte à tous les vents aromatise la dureté
de son sang sur le froid du vol des colombes
qui le reçoit — le noir de l'encre qui enve-
loppe les rayons de salive du soleil qui
tapent sur l'enclume des lignes du dessin
acquis à prix d'or — développe dans la
pointe d'aiguille de l'envie de la prendre
dans ses bras — sa force acquise et ses
moyens illégaux de l'atteindre — je cours la
chance de l'avoir morte dans mes bras épa-
nouie et folle — lettre d'amour si l'on veut
plus tôt écrite et plus tôt déchirée —
demain ou ce soir ou hier je l'enverrai
mettre à la poste par les soins dévoués de
mes amis — cigarette I cigarette II cigarette III un deux trois un plus deux plus
trois égale à six cigarettes une fumée l'autre
grillée et la troisième rôtie au feu sur la
grille — les mains pendues au cou de la
corde descendue en courant de l'arbre qui
s'envole fouettent à tire-larigot son pur

corps de Vénus si mal roulé — pieds joints
le jour descend la charge de ces années dans
le puits plein d'ombre — les tripes que
traîne Pégase après la course dessinent son
portrait sur la blancheur et la dureté du
marbre brillant de sa douleur

le bruit des persiennes détachées frappant
leurs cloches ivres sur les draps chiffonnés
des pierres arrachent à la nuit des cris déses-
pérés de bonheur — les coups de marteau
des fleurs et la puanteur si jolie de ses
tresses assaisonnent le ragoût de ses lauriers
— et ses clous de girofle — mains volantes
mains détachées des manches de dentelle du
corsage mis si soigneusement plié sur le
velours du fauteuil — appuyées si durement
sur les joues de la hache plantée sur le billot
mélancoliquement copient en belle écriture
ronde la leçon apprise — pierre dure des
anémones dévorant la chaux vive du rideau
endormi sur l'échelle appuyée sur le soufre
du ciel accroché au cadre de la fenêtre —
les raisons les plus valables l'imminence du
péril les craintes et les désirs qui la poussent
n'empêchent à l'heure qu'il est à la joie
morose de s'installer commodément à
demeure sur le sopha vert espérance

LA TARTE *entre en courant* – bonjour bonsoir je vous apporte l'orgie je suis toute nue et je meurs de soif vous allez vivement me faire une tasse de thé et des rôties au miel — j'ai une faim de loup et j'ai si chaud — permettez-moi de me mettre à mon aise — donnez-moi une fourrure — remplie de poils pleins de mites — que je me couvre — et d'abord embrassez-moi sur la bouche et ici et ici ici ici et là et partout — faut-il que je vous aime pour être venue ainsi en savates en voisine et toute nue vous dire bonjour et vous faire croire que vous m'aimez et voulez m'avoir contre vous toute petite amante que je suis pour vous et maîtresse absolue de mes pensées pour vous si tendre adorateur de mes charmes que vous paraissez être — ne soyez si gêné donnez-moi encore un beau baiser — et encore mille autres — allez allez me faire du thé — pendant ce temps je vais me couper le cor du petit doigt qui m'agace

le Gros Pied la prend dans ses bras et ils tombent par terre

LA TARTE *(se relevant après l'étreinte)* – vous en avez de belles façons de recevoir et de prendre — je suis couverte de neige et je grelotte — apportez-moi une brique *(elle s'accroupit devant le trou du souffleur et face à la salle pisse et chaudepisse pendant dix bonnes minutes)* — ouf ça va mieux

(elle pète — elle re-pète) (se recoiffe) (s'assied par terre et commence la savante démolition de ses doigts de pieds)

LE GROS PIED *rentre tenant sous son bras un gros livre de comptes* – voici votre goûter — pas d'eau au robinet — pas de thé — pas de sucre — pas de tasse ni soucoupe — pas de cuiller — pas de verre — pas de pain et pas de confitures — mais j'ai ici sous mon bras une belle surprise — <u>mon roman</u> et dans ce gros saucisson je vais vous couper quelques grosses tranches — que je vais vous fourrer dans la tête si vous le permettez et voulez m'écouter très attentivement pendant ces quelques longues années de nuit noire que nous avons à dépenser allégrement ce matin jusqu'à midi — voici la page 380.000 qui me paraît sérieusement intéressante *(il lit)* « l'âcre odeur répandue autour du fait concret établi à priori du récit

— n'engage le personnage destiné à cette besogne· à aucune retenue — devant sa femme et par-devant notaire nous le seul responsable établi et connu comme auteur honorablement connu je n'engage ma responsabilité entière que dans les cas précis où les inquiétudes démesurées deviendraient obsédantes et meurtrières pour la vue partielle du sujet mis à table dégoisant à plein rendement le fil à plomb de la compliquée machine à établir coûte que coûte sur les données exactes du cas déjà expérimenté par d'autres à l'inverse de l'éclairage apporté par les points de vue sur lesquels appuyer le poids des précisions intérieures — »

« la salle de bal armé était pleine du sucre et de la saumure du beau et du meilleur de la chère société choisie — assise en face du fait accompli plein des plumes mordorées des enfants jetés par-dessus les moulins comme des larmes tardives et véreuses »

« sur le clocher du régiment l'horloge affichait la plus complète indifférence aux angles du cadran solaire tenu à bras-le-corps — les papouilles des corbeaux faisant la roue dentelée de la machine à coudre des boutons et à les découdre — animent si peu le paysage à moitié mort que l'herbe pousse sur leur vol et que les ombres portées de leurs ailes ne collent pas au mur de l'église et glissent sur les pavés de la place où elles s'écrasent en matérialisant convenablement l'aventure destinée à occuper cette case provisoire »

L'OIGNON ET LA COUSINE *rentrent* – olala on vous apporte des crevettes olala olala on vous apporte des crevettes

LE GROS PIED – c'est charmant — on est en train d'en foutre un coup et vous venez nous déranger avec vos sales crevettes — que voulez-vous l'Oignon et toi Cousine qu'on foute de vos crevettes

LA COUSINE – des crevettes roses — des bouquets vous appelez ça « nos sales crevettes » on est gentil on pense à vous et vous nous engueulez ce n'est pas chic

L'OIGNON – moi ça m'apprendra la prochaine fois à t'offrir des crevettes

LE GROS PIED – non mais des fois

LA COUSINE – toi la Tarte de ce pas je vais lui raconter tout à ta mère — c'est du joli et du beau — toute nue devant un monsieur un écrivain un poète et toute nue avec des bas c'est peut-être très littéraire et très cochon mais ça ne fait pas ni Vénus ni muse ni le genre qui convient à une jeune fille qui se respecte — et que va dire ta mère quand elle certainement apprendra ce soir au lavoir ta déplorable conduite dévergondée de fille publique traînée dans l'égout du <u>studio artistique de Gros Pied</u> par des désirs lubriques

LA TARTE — Cousine tu dépasses les règles — et à propos as-tu du coton ou prête-moi ton mouchoir je vais m'arranger et je sors — je m'en vais — je rentre à la maison — vraiment cet homme est un cochon un pervers un raffiné et un juif

(elle rentre dans la salle de bains)

LE GROS PIED — maintenant que la Tarte est partie écoutez-moi cette fille est folle et cherche à nous monter le coup avec ses manigances maniérées de princesse — je l'aime bien entendu et elle me plaît mais de ça à faire d'elle ma femme ma muse ou ma Vénus

52

il y a encore un long et difficile chemin à peigner — si sa beauté m'excite et sa puanteur m'affole sa façon de manger à table de s'habiller et ses manières si maniérées m'emmerdent — maintenant dites-moi franchement vos pensées je vous écoute — toi Cousine qu'en penses-tu

LA COUSINE – je la connais très bien ton amie — nous avons été côte à côte à l'école pendant quelques années et je t'assure qu'en classe sa conduite fut pour nous toutes tenue pour exemplaire si elle était couverte de boutons bien entendu je le sais ça n'était pas sa faute mais du manque de diverses matières grasses et du laisser-aller d'une fille abandonnée à ses instincts — très sale de son corps dépeignée sentant mille mauvaises odeurs et endormie — dans son court tablier noir ses grosses savates et sa tricotée pèlerine tous les hommes les vieux ouvriers les jeunes et des messieurs à leurs regards nous apercevions bien les feux et les chandelles allumées devant l'image dévastatrice d'elle qu'ils emportaient brûlant dans leurs mains cachées dans leur braguette le pur diamant de la fontaine de Jouvence

L'OIGNON – cette gosse avait pour moi la saveur d'un bâton d'angélique

LA COUSINE – maintenant y a pas à dire la Tarte est une grande et bien belle fille

LE GROS PIED – son corps est une nuit d'été bondée de la lumière et des parfums des jasmins et des étoiles

L'OIGNON – elle te plaît Gros Pied — Gros Pied c'est ton affaire — si elle te plaît tout va bien et à toi le bonheur et les emmerdements — bon courage je vous bénis et bonne et longue chance — tu viens la Cousine on s'en va eh Gros Pied sans rancune — dans les crevettes n'oublie pas surtout de mettre un gros morceau de couenne de lard du persil et un bon verre de lait d'ânesse

LA COUSINE – ... soir Gros Pied

(ils sortent)

LE GROS PIED – quelle bande de pitoyables cons — *(il se couche sur le lit et recommence à écrire)* — le bleu mou de l'archet qui couvre de son voile de dentelles les roses du corps nu de l'amarante du champ d'avoine éponge

54

goutte à goutte la charge des petits grelots
des épaules du jaune citron battant des ailes
— les demoiselles d'Avignon ont déjà
trente-trois longues années de rente

LA TARTE (*sort de la salle de bains toute habillée
et coiffée d'un chapeau dernier modèle*) –
comment ils sont partis — sans dire un mot
— à l'anglaise — veux-tu que je te dise —
tous ces gens me dégoûtent — moi je n'aime
que toi — mais il faudra être très sage mon
gros tout maintenant que je suis vraiment
vierge je m'en vais tout de suite poser les
affiches lumineuses de mes seins à la portée
de tous et faire mon beurre d'amour aux
Halles centrales

(*elle l'embrasse et part*)

LE GROS PIED (*étendu sur son lit et cherchant des-
sous le pot de chambre introuvable*) – je
porte dans ma poche percée le parapluie en
sucre candi des angles déployés de la
lumière noire du soleil

Rideau

ACTE VI

(la scène se passe dans l'égout chambre à coucher cuisine et salle de bains de la villa <u>des Angoisses</u>)

L'ANGOISSE MAIGRE — la brûlure de mes passions malsaines attise la plaie des engelures enamourées du prisme établi à demeure sur les angles mordorés de l'arc-en-ciel et l'évapore en confettis — je ne suis que l'âme congelée collée aux vitres du feu — je frappe mon portrait contre mon front et crie la marchandise de ma douleur aux fenêtres fermées à toute miséricorde — ma chemise mise en lambeaux par les éventails rigides de mes larmes mord de l'acide nitrique de ses coups les algues de mes bras traînant la robe de mes pieds et mes cris de porte en porte — le petit sac de pralines que je lui ai acheté hier à Gros Pied pour 0 franc 40 me brûle les mains — fistule purulente dans mon cœur l'amour joue aux billes entre les plumes de ses ailes — la vieille machine à coudre qui fait tourner les chevaux et les lions du carrousel échevelé de mes désirs hache ma chair à saucisse et l'offre vivante aux mains glacées des astres mort-nés frappant aux carreaux de ma fenêtre leur faim de loup et leur soif océane — l'énorme tas de bûches attendent résignées leur sort — faisons la soupe — *(lisant dans un livre de cuisine)* demi-quart de melon d'Espagne — de l'huile de palme — du citron — des fèves — sel — vinaigre — mie de pain — mettre à cuire à feu doux — retirer délicatement de temps en temps une âme en peine du purgatoire — refroidir — reproduire à mille exemplaires sur japon impérial et laisser prendre la glace à temps pour pouvoir la donner aux poulpes

(criant par le trou d'égout de leur lit) sœur — sœur — viens — viens m'aider à mettre la table et à plier le linge sale taché de sang et d'excréments — dépêche-toi ma sœur la soupe est déjà froide et se fend au fond du miroir de l'armoire à glace — j'ai brodé

toute l'entière après-midi de cette soupe
mille histoires qu'elle va te raconter en
secret à l'oreille si tu veux garder pour la fin
l'architecture du bouquet de violettes du
squelette

L'ANGOISSE GRASSE *(sortant toute dépeignée et noire
de saleté des draps du lit plein de pommes
frites tenant une vieille poêle à la main)* –
j'arrive de bien loin et éblouie par la longue
patience que j'ai dû suivre derrière le corbil-
lard des sauts de carpe que le gros teinturier
si minutieux dans ses comptes voulait
mettre à mes pieds

L'ANGOISSE MAIGRE – le soleil

L'ANGOISSE GRASSE – l'amour

L'ANGOISSE MAIGRE – comme tu es belle

L'ANGOISSE GRASSE – quand je suis sortie ce matin
de l'égout de notre maison tout de suite à
deux pas de la grille j'ai enlevé ma paire de
gros souliers ferrés de mes ailes et sautant
dans la mare glacée de mes chagrins je me
suis laissé entraîner par les vagues loin des
rives — couchée sur le dos je me suis étendue sur l'ordure de cette eau et j'ai tenu
longtemps ma bouche bien ouverte pour

recevoir mes larmes — mes yeux fermés en recevaient aussi la couronne de cette longue pluie de fleurs

L'ANGOISSE MAIGRE – le dîner est servi

L'ANGOISSE GRASSE – vive la joie l'amour et le printemps

L'ANGOISSE MAIGRE – allons découpe la dinde et sers-toi convenablement de la farce — le gros bouquet d'affres et d'épouvantes nous fait déjà des signes d'adieu — et les coquilles des moules claquent des dents mortes de peur sous les oreilles glacées de l'ennui *(elle prend un morceau de pain qu'elle trempe dans la sauce)* ça manque de sel et de poivre cette bouillie — ma tante avait un serin qui chantait toute la nuit de vieilles chansons à boire

L'ANGOISSE GRASSE – je reprends encore de l'esturgeon l'âcre saveur érotique de ces mets tient fortement en haleine mes goûts dépravés pour les plats épicés et crus

L'ANGOISSE MAIGRE – la robe de dentelles que je portais au bal blanc donné le jour funeste de ma fête je viens de la trouver toute mitée et pleine de taches en haut de l'armoire des cabinets se tordant de douleur enflammée sous la poussière du tic tac de l'horloge c'est certainement notre femme de ménage qui l'a mise l'autre jour pour aller voir son homme

L'ANGOISSE GRASSE – regarde — la porte s'avance en courant il y a quelqu'un dedans qui rentre — le facteur — non c'est la Tarte *(s'adressant à la Tarte)* rentre — viens goûter avec nous — comme tu dois être contente — donne-nous des nouvelles de Gros Pied — l'Oignon est arrivé ce matin pâle et défait trempé d'urine et blessé — traversé au front par une pique — il pleurait — nous l'avons soigné et consolé comme nous avons pu — mais il était en morceaux — il saignait de partout et criait comme un fou des paroles incohérentes

L'ANGOISSE MAIGRE – tu sais la chatte a eu ses petits cette nuit

L'ANGOISSE GRASSE – nous les avons noyés dans une pierre dure exactement dans une belle améthyste — il faisait beau ce matin — un peu froid mais chaud quand même

LA TARTE – vous savez j'ai rencontré l'amour il a des genoux écorchés et mendie de porte en porte il n'a plus le sou et cherche une place de contrôleur d'autobus en banlieue — c'est triste — mais va l'aider — il se retourne et vous pique — Gros Pied a voulu m'avoir et c'est lui qui s'est pris au piège — voyez je me suis mise trop longtemps au soleil — je suis couverte de cloques — l'amour — l'amour — voici une pièce de cent sous changez-la-moi en dollars et gardez pour vous les miettes de pain de la menue mon- naie — au revoir à jamais — bonne fête mes amis — bonsoir — bien le bonjour — bonne année — et adieu

(elle relève sa jupe montre son derrière et saute en riant d'un bond par la fenêtre à tra- vers les carreaux en cassant toutes les vitres)

L'ANGOISSE GRASSE – belle fille — intelligente — mais bizarre — tout ça finira mal

L'ANGOISSE MAIGRE – appelons tous ces gens — *(elle prend une trompette et sonne le ras- semblement) (tous les personnages de cette pièce accourent)* toi l'Oignon avance-toi — tu as droit à six chaises du salon — les voici...

L'OIGNON – merci madame

L'ANGOISSE GRASSE – Gros Pied[1] pour toi si tu sais répondre à mes questions je te donne la lampe à suspension de la salle à manger — dis-moi combien ça fait quatre et quatre

LE GROS PIED[1] – beaucoup trop et pas grand-chose

L'ANGOISSE MAIGRE – très bien

L'ANGOISSE GRASSE – très bien

L'ANGOISSE MAIGRE *(débouchant un flacon et le lui mettant sous le nez)* – Bout rond qu'est-ce que ça sent

(Bout rond rit)

L'ANGOISSE MAIGRE – très bien — tu as compris — voici cette boîte pleine de plumes à écrire — elles sont pour toi et bonne chance

L'ANGOISSE GRASSE – la Tarte — présente tes comptes

LA TARTE – j'ai 600 litres de lait dans mes

1. *Gros Bout* dans le manuscrit.

nichons de truie — du jambon — du gras
double — du saucisson — des tripes — du
boudin — et mes cheveux couverts de
chipolatas j'ai des gencives mauves — du
sucre dans les urines et du blanc d'œuf plein
les mains nouées de goutte — des cavernes
osseuses — du fiel — des chancres — des
fistules — des écrouelles — et des lèvres
tordues de miel et de guimauve — habillée
avec décence — propre — je porte avec élé-
gance les toilettes ridicules qu'on me donne
— je suis mère et parfaite fille de joie — et
je sais danser la rumba

L'ANGOISSE MAIGRE – tu auras un bidon de
pétrole et une canne à pêche — mais avant
tu dois danser avec nous tous — commence
avec Gros Pied

*(la musique joue et tous dansent en chan-
geant à chaque moment de cavalier et cava-
lière)*

LE GROS PIED – enveloppons les draps usés dans
la poudre de riz des anges — et retournons
les matelas dans les ronces — allumons
toutes les lanternes — lançons de toutes nos
forces les vols de colombes contre les balles

— et fermons à double tour les maisons démolies par les bombes

tous les personnages s'immobilisent d'un côté et autre de la scène — par la fenêtre du fond de la pièce en l'ouvrant d'un coup rentre une boule d'or de la grandeur d'un homme qui éclaire toute la pièce et aveugle les personnages qui sortent de leur poche un mouchoir et se bandent les yeux et étendant le bras droit se montrent du doigt les uns aux autres criant tous à la fois et plusieurs fois

Toi Toi Toi

(sur la grosse boule d'or apparaissent les lettres du mot « personne »)

Rideau

fin de la pièce

Paris vendredi 17 janvier 1941

DU MÊME AUTEUR

*Cet ouvrage a été composé
par Euronumérique.
Reproduit et achevé d'imprimer
par l'Imprimerie Floch à Mayenne,
le 2 juin 2000.
Dépôt légal : juin 2000.
1er dépôt légal : octobre 1995.
Numéro d'imprimeur : 48939.*
ISBN 2-07-074164-8 / Imprimé en France.